Pour Maman
et pour Effi

Pour l'édition originale publiée par Walker Books Limited,
87, Vauxhall Wall – Londres SE11 5HJ – Royaume-Uni,
et parue sous le titre *Hilda and the Runaway Baby*
© 2017, Daisy Hirst pour le texte et l'illustration
www.walkerbooks.co.uk

Pour l'édition française, produite et publiée avec l'accord de Walker Books Limited
et adaptée de l'anglais (Royaume-Uni) par Françoise de Guibert.
© 2017, Albin Michel Jeunesse, 22, rue Huyghens, 75014 Paris
www.albin-michel.fr
Loi n° 49-956 du 16 juillet 1949 sur les publications destinées à la jeunesse.
ISBN-13 : 978-2-226-32849-6
N° d'édition : 22316
Dépôt légal : premier semestre 2017
Imprimé et relié en Chine

HILDA
ET LE BÉBÉ BOLIDE

Daisy Hirst

ALBIN MICHEL JEUNESSE

Hilda vit dans une petite
maison au pied d'une colline.

Elle a une auge, un seau et un amandier en fleurs.

De temps à autre, elle essaye de discuter

avec eux, mais même l'amandier

n'a jamais répondu.

« Il me semble

que je devrais être heureuse,

pense parfois Hilda.

La vie est tranquille,

personne ne m'ennuie.

Je suis là où je dois être. »

Au sommet de la colline, il y a un village, et dans ce village,
il y a un bébé qui ne se trouve jamais là où il devrait être.

C'est pour cette raison
qu'on l'appelle le Bébé bolide.

Il finit généralement
par réapparaître, mais toutes
ses disparitions causent du souci
à son papa et sa maman.

Quand la famille va se promener, tout le monde a envie
de discuter avec les parents du Bébé bolide.
Le Bébé bolide ne parle pas.

Mais il remarque le chat sur la poubelle,
les roses jaunes…

et l'oiseau qui s'envole.

Hilda n'a jamais vu un bébé si rapide.

Elle comprend que le Bébé bolide ne peut pas arrêter son landau !

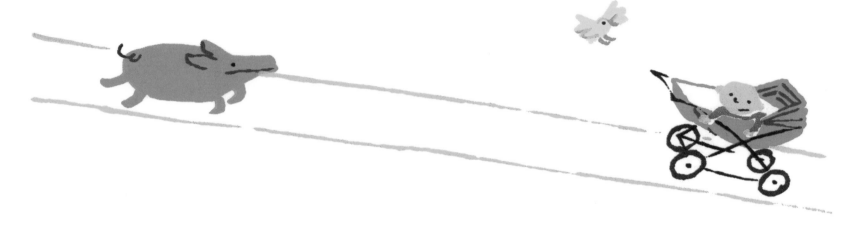

Hilda court et court, le landau dévale et dévale,

le Bébé bolide se penche, Hilda bondit…

… Et tous les deux se retrouvent par terre sur le chemin.

« Salut, bébé, dit Hilda. Je m'appelle Hilda.

– Da, répond le bébé.

– Oui, dit Hilda, tout à fait. Et maintenant,

je crois que nous devrions rentrer à la maison. »

«Je ne me suis jamais sentie aussi
fatiguée, soupire Hilda au bout
d'un moment. Les cochons ne sont
pas faits pour marcher sur deux
pattes en poussant un landau.

– Da !» répond le Bébé bolide
en tendant son biberon
et un morceau de biscuit trouvé
au fond du landau.

Puis le bébé a
une excellente idée.

C'est beaucoup plus facile pour Hilda de tirer le landau, mais le chemin est encore long jusqu'au village. Devant la petite maison d'Hilda et son amandier en fleurs, le bébé s'endort…

Hilda arrive enfin chez le Bébé bolide. Elle sonne et se cache.

Le papa et la maman du bébé sont très,

très heureux de le retrouver.

Quand Hilda est de retour chez elle, sa maison

lui paraît froide et vide. Mais elle est tellement fatiguée

qu'elle s'endort immédiatement.

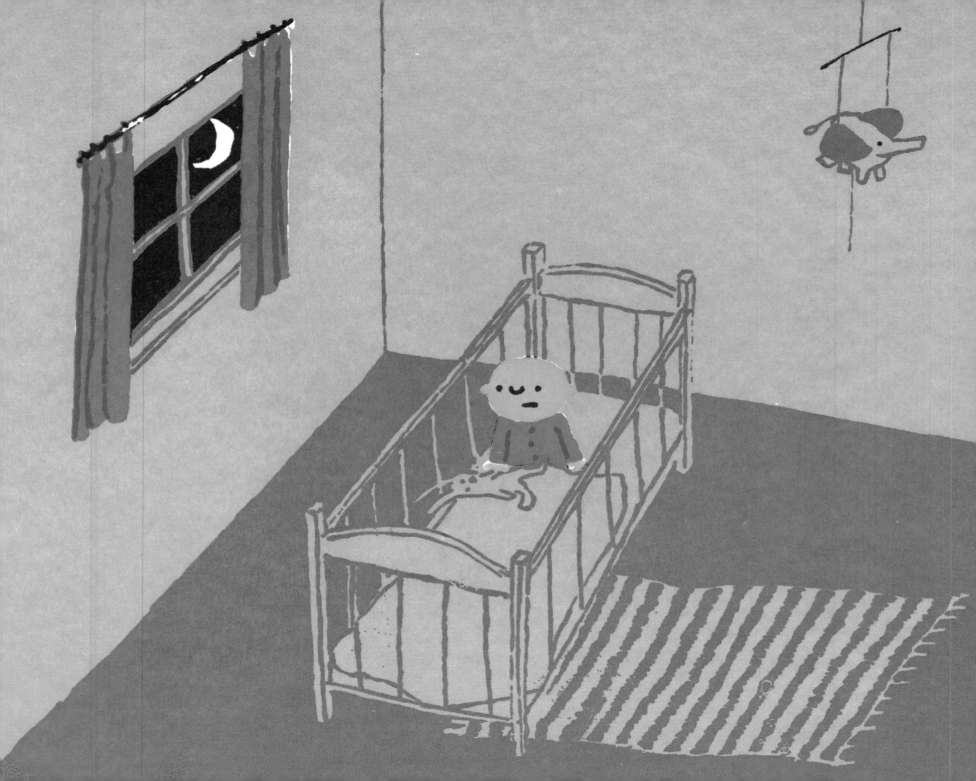

Le Bébé bolide se réveille dans la nuit.

Il pense à Hilda...

et il se met à HURLER.

Rien ne semble
pouvoir calmer le bébé.

Au pied de la colline,

Hilda entend les cris et,

sans réfléchir, elle quitte

sa maison et grimpe

vers le village

à toute allure.

Les hurlements du Bébé Bolide s'arrêtent soudain.

« Salut, bébé, dit Hilda.

– Da ! » répond le bébé.

La maman et le papa
du bébé font entrer Hilda
et tous vont dormir.

Hilda n'aurait jamais imaginé passer sa vie ici,

mais elle avait enfin quelqu'un avec qui discuter.

Le Bébé bolide ne se trouvait toujours pas

où il devait être…

Mais Hilda, elle, était toujours heureuse

d'être là où il était.